Le requin et son petit

Camilla de la Bédoyère

Texte français de Claudine Azoulay

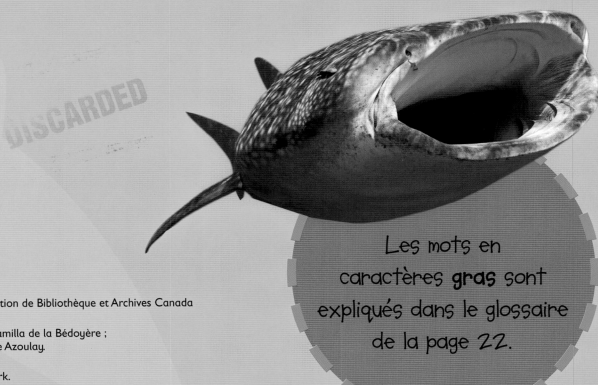

Les mots en caractères **gras** sont expliqués dans le glossaire de la page 22.

Catalogage avant publication de Bibliothèque et Archives Canada

De la Bédoyère, Camilla
Le requin et son petit / Camilla de la Bédoyère ;
texte français de Claudine Azoulay.

(Cycle de vie)
Traduction de: Pup to shark.
Pour les 5-9 ans.
ISBN 978-1-4431-0109-7

1. Requins--Cycles biologiques--Ouvrages pour la jeunesse.
I. Azoulay, Claudine II. Titre. III. Collection: Cycle de vie (Toronto, Ont.)

QL638.9.D4314 2010   j597.3'156   C2009-904876-0

Édition publiée par les Éditions Scholastic,
604, rue King Ouest, Toronto (Ontario) M5V 1E1.

5 4 3 2 1   Imprimé en Chine CP141   10 11 12 13 14

Auteure : Camilla de la Bédoyère
Conceptrice graphique et recherchiste d'images : Melissa Alaverdy
Directrice artistique : Zeta Davies

Références photographiques
Légende : h = haut, b = bas, c = centre, g = gauche,
            d = droite, PC = page couverture

Alamy 16 Visual&Written SL

Corbis 15c Visuals Unlimited, 15d Visuals Unlimited

Getty Images 15h Alex Kerstitch, 20-21 National Geographic

imagequestmarine.com 4-5 Masa Ushioda, 6-7 Masa Ushioda, 15b Andy
Murch/V&W

naturepl.com 6b Brandon Cole, 6h Doug Perrine, 8g Jeff Rotman 10b Doug
Perrine, 10h Doug Perrine, 11 Doug Perrine, 14 Jurgen Freund

NHPA 1h Oceans Image/Photoshot

Photolibrary Group 2h James Watt, 8-9 Reinhard Dirscherl, 12-13 David B
Fleetham, 13h Richard Herrmann, 18-19 James Watt, 19h Kelvin Aitken

Shutterstock 1b Naluphoto, 3h Mashvesna, 17h Stephan Kerkhofs, 17b Ian Scott,
24b Ian Scott

Table des matières

Qu'est-ce qu'un requin?

Un requin est une espèce de poisson. De nombreux poissons ont un corps long et mince. Cette forme est idéale pour se déplacer dans l'eau.

Il existe plus de 400 espèces de requins dans le monde. La plupart d'entre eux sont sans danger pour les êtres humains et se nourrissent de petits animaux marins.

Œil

Dents

Les requins ont des **fentes branchiales** (ou branchies) de chaque côté de la tête. Elles leur permettent de respirer sous l'eau.

▼ **Les requins sont d'excellents nageurs. Grâce à leurs nageoires, ils peuvent aussi changer brusquement de direction.**

Nageoire

Branchies

L'histoire d'un requin

Les bébés requins commencent tous leur vie sous la forme d'un œuf.

Certains requins pondent leurs œufs sur le fond de la mer avant l'éclosion. Chez d'autres requins, les petits se développent dans le corps de leur mère jusqu'à leur naissance.

La période durant laquelle un jeune requin devient un adulte s'appelle le **cycle de vie**.

2

1

Jeune requin

◀ **Le cycle de vie d'un requin citron comporte trois stades.**

Les bébés se développent à partir d'œufs.

3 Requin adulte

De nouvelles vies commencent

Avant d'avoir des petits, un requin femelle doit **s'accoupler** avec un requin mâle.

Durant l'accouplement, le mâle s'agrippe à la femelle. Il la saisit à l'aide de nageoires spéciales appelées ptérygopodes. Le mâle peut même mordre la femelle durant l'accouplement.

Le mâle **féconde** les œufs de la femelle. Seuls les œufs fécondés peuvent produire de nouveaux requins.

▲ Seuls les requins mâles ont des nageoires appelées ptérygopodes.

Ptérygopodes

◀ Quand ils s'accouplent, les requins s'enroulent l'un autour de l'autre.

La naissance

Les petits du requin citron se développent à partir d'œufs, à l'intérieur du corps de leur mère.

Au début, le jeune requin se nourrit du **vitellus** ou jaune de l'œuf. Il se développe jusqu'à ce qu'il soit suffisamment grand pour **éclore**.

Après avoir éclos, le jeune requin reçoit sa nourriture du corps de sa mère.

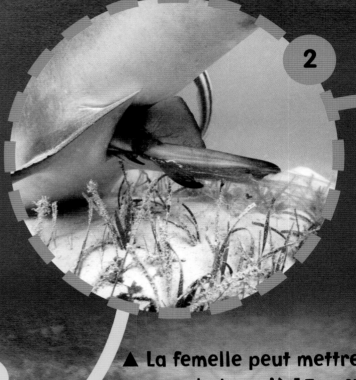

2

1

▲ La femelle peut mettre au monde jusqu'à 17 petits requins par portée.

▶ Les requins femelles trouvent un endroit sûr où donner naissance à leurs petits.

La nourriture passe de la mère à son petit par le **placenta**. Les petits requins naissent après environ un an de gestation.

▼ **Ce requin nouveau-né est encore attaché à son placenta.**

3

Placenta

Des jeunes affamés

Le grand requin blanc garde lui aussi ses petits à l'intérieur de son corps.

Le grand requin blanc n'a pas de placenta. Au début, les jeunes requins se nourrissent du vitellus.

Quand ils éclosent, ils doivent trouver une autre source de nourriture. Ils mangent les autres œufs et parfois se dévorent entre eux.

▶ **Le grand requin blanc peut mesurer jusqu'à six mètres de long.**

▶ Il faut environ six années pour que le petit d'un grand requin blanc devienne adulte.

Dès que ses petits sont nés, la mère s'en va. Les jeunes requins doivent survivre par eux-mêmes.

Pondre des œufs

L'holbiche ventrue est une espèce de requin qui pond des œufs. La femelle trouve un lieu sûr où les déposer.

Chaque œuf est entouré d'une capsule caoutchouteuse appelée « bourse de sirène ». Celle-ci protège le jeune requin qui se développe à l'intérieur.

La capsule de l'œuf est munie de longs filaments en vrille placés à ses extrémités. Les filaments s'entortillent autour des algues ou des roches pour empêcher les capsules de partir à la dérive.

Capsule de l'œuf

Filaments

◀ L'holbiche ventrue pond ses œufs au milieu des algues.

1 ◄ À l'intérieur de la capsule de l'œuf, il y a un tout petit requin et un vitellus blanc.

▶ À trois mois, la queue du jeune requin a poussé.

2

▼ Au bout de sept à dix mois, le petit de l'holbiche ventrue est prêt à éclore.

3

▼ Une holbiche ventrue adulte peut mesurer jusqu'à un mètre de long.

4

Grandir

Les jeunes requins ne deviennent pas tous adultes. Parfois, ils sont mangés par d'autres animaux. Les requins adultes eux-mêmes mangent de jeunes requins.

Certains jeunes requins sont couverts de motifs qui les aident à se cacher. C'est ce qu'on appelle le **camouflage**.

▼ **Les holbiches ventrues nagent près du fond de la mer, où elles se fondent à leur environnement et sont très difficiles à voir.**

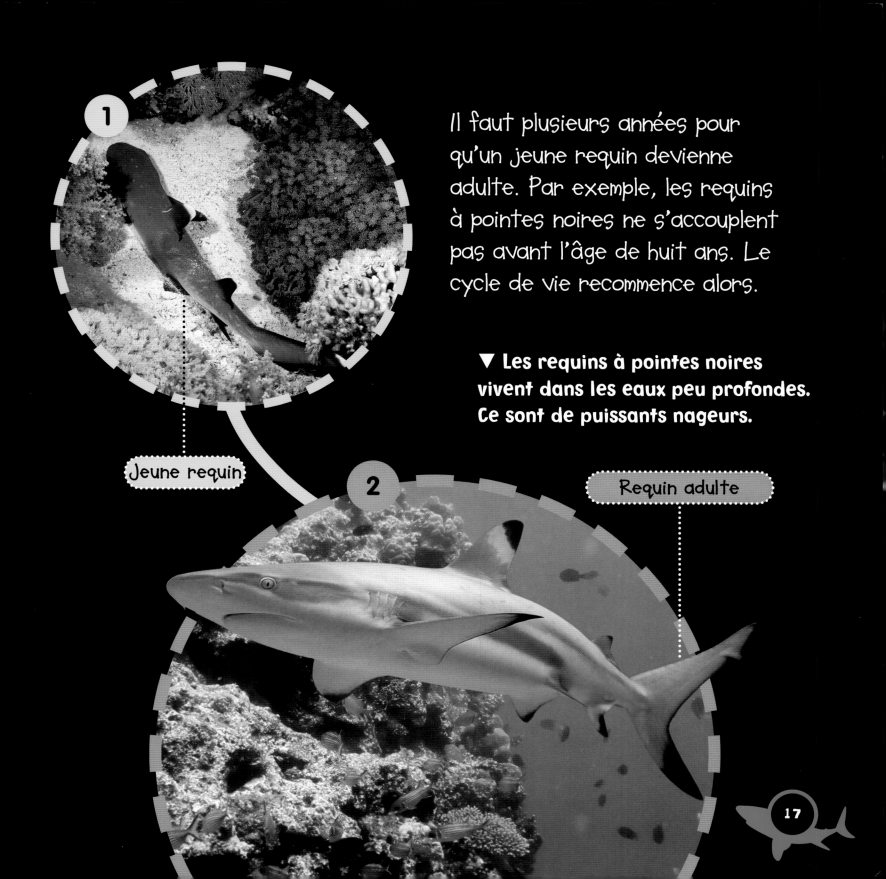

Il faut plusieurs années pour qu'un jeune requin devienne adulte. Par exemple, les requins à pointes noires ne s'accouplent pas avant l'âge de huit ans. Le cycle de vie recommence alors.

▼ **Les requins à pointes noires vivent dans les eaux peu profondes. Ce sont de puissants nageurs.**

Jeune requin

Requin adulte

Comment vivent les requins?

Les requins nagent en silence dans la mer, à la recherche de nourriture.

Les grands requins blancs chassent les phoques et d'autres poissons. Ils attaquent à la vitesse de l'éclair et ont des dents aussi coupantes qu'un rasoir.

Les requins baleines attendent que la nourriture vienne à eux. Ils gardent la bouche ouverte et avalent le **krill**.

▲ Les requins baleines sont les plus grands poissons au monde.

▶ Le krill est composé de minuscules crustacés qui ressemblent à des crevettes. Chaque crustacé n'est pas plus gros que ton petit doigt!

Requins en danger

Les requins vivent sur la Terre depuis des centaines de millions d'années, mais ils sont maintenant en danger.

Chaque année, des millions de requins meurent. Ils sont pris par accident dans les filets de pêche. Les humains les chassent aussi pour s'en nourrir.

▶ Les requins marteaux ont une tête énorme. Ils restent souvent pris dans les filets.

Il se pourrait que les requins marteaux, les grands requins blancs et de nombreuses autres espèces de requins disparaissent bientôt pour toujours.

21

Glossaire

Camouflage
Motifs et couleurs qui aident un animal à se cacher.

Cycle de vie
Période durant laquelle un être vivant se transforme de la naissance à la mort et produit des petits.

Éclore
Sortir de son œuf.

Féconder
Quand une cellule mâle spéciale s'unit à un œuf de la femelle pour produire un nouvel être vivant.

Fentes branchiales (branchies)
Parties du corps d'un poisson qui lui servent à respirer sous l'eau.

Krill
Colonie de petits animaux qui vivent dans la mer et ressemblent à des crevettes.

Placenta
Partie d'un œuf de requin qui s'unit au corps de la mère pour transmettre la nourriture au jeune requin en développement.

S'accoupler
Quand un mâle et une femelle s'unissent pour qu'une nouvelle vie commence à se développer.

Vitellus
Partie d'un œuf qui procure la nourriture au jeune requin en développement.

Index

Notes aux parents et aux enseignants

Feuilletez le livre et parlez de ses illustrations. Lisez les légendes et posez des questions sur des éléments qui apparaissent sur les photos, mais qui n'ont pas été mentionnés dans le texte.

Aidez votre enfant à faire une recherche sur l'une des espèces de requins mentionnées dans ce livre. Naviguez avec lui sur Internet pour trouver des informations sur l'alimentation du requin et le lieu où il vit. Pond-il des œufs ou donne-t-il naissance à des petits? Trouvez d'autres informations intéressantes sur ce requin. Cherchez des photos sur Internet et aidez votre enfant à le dessiner.

Visitez un aquarium pour observer de quelle manière les poissons se déplacent dans l'eau. Discutez de ce qui différencie une espèce de poisson d'une autre. Employez des mots pour décrire la forme, la taille et la couleur du corps des poissons. Cherchez les poissons les plus gros et les plus petits.

Préparez-vous à répondre à des questions sur le cycle de vie humain. Beaucoup de livres sur ce sujet offrent des explications conçues pour les jeunes enfants.

Aidez l'enfant à comprendre le cycle de vie en lui parlant de sa famille. Dessiner des arbres généalogiques simples, regarder des albums de photos de famille et partager des histoires familiales avec les grands-parents sont des moyens amusants de susciter l'intérêt des jeunes enfants.